獻給安東尼（他本來的樣子）——康娜莉雅．史貝蔓

獻給布萊安納，伴隨著滿滿的愛 —— 凱西．帕金森

喜歡我自己

文 康娜莉雅·史貝蔓　圖 凱西·帕金森　譯 黃維明

我覺得自己很棒。

有ㄧㄡˇ人ㄖㄣˊ愛ㄞˋ我ㄨㄛˇ本ㄅㄣˇ來ㄌㄞˊ的ㄉㄜ˙樣ㄧㄤˋ子ㄗ˙。

我不必像別人、
長得和他一樣高，
或是做一樣的事。

做自己真好。

我ㄨㄛˇ是ㄕˋ別ㄅㄧㄝˊ人ㄖㄣˊ的ㄉㄜ˙朋ㄆㄥˊ友ㄧㄡˇ。

有人喜歡我本來的樣子。

我不必搶第一。

也不必是最好的那一個。

我只要盡力就好。

有些事對我來說很容易，

有些卻很困難。

可是沒有關係，

因為每個人都不一樣。

不管畫畫或做勞作，

我的作品都和別人的不一樣。

只ㄓˇ要ㄧㄠˋ有ㄧㄡˇ人ㄖㄣˊ喜ㄒㄧˇ歡ㄏㄨㄢ就ㄐㄧㄡˋ好ㄏㄠˇ了˙ㄌㄜ。

我ㄨㄛˇ是ㄕˋ好ㄏㄠˇ幫ㄅㄤ手ㄕㄡˇ。

幫助別人的時候，我覺得自己很棒。

我喜歡交新朋友，

學ㄒㄩㄝˊ新ㄒㄧㄣ東ㄉㄨㄥ西ㄒㄧ˙。

如果做錯了，

我就再試一次。

我覺得自己很棒！

I feel good about myself.

Somebody loves me just as I am.

I don't have to look like anyone else,
be the same size,
or do the same things.

It's fine to be me.

I am somebody's friend.

Somebody likes me just as I am.

I don’t have to be first.
I don’t have to be best.
All I need to do is try my hardest.

Some things are easy for me to do;

other things are hard.
But that’s OK,
because everyone is different.

When I paint or make things,
they are not like anyone else’s.

Somebody likes what I paint
or make.

I am someone’s helper.

I feel good when I can help.

I like making new friends,

and I like learning new things.

If I make a mistake,

I can try again.

I feel good about myself!

作者介紹

康娜莉雅・史貝蔓（Cornelia Maude Spelman）

康娜莉雅・史貝蔓童書作品豐富，主題環繞著兒童的情緒和社會發展，透過故事，把情緒發展主題和孩子們實際的生活經驗相結合。老師和家長們對她的作品給予這樣的評價：「非常細膩、溫和、撫慰人心，而且充滿同情和同理心。」康娜莉雅是家庭與兒童專業諮商師，曾任教於研究所，也針對兒童與家庭的心理健康議題做過數百場的演說。她的子女皆已成年，她則與丈夫住在伊利諾州。她不但從事圖畫書創作，還擔任反槍械婦女團體的義工。

幼兒情緒教育，從專業精采的繪本入門！

楊俐容 台灣芯福里情緒教育推廣協會理事長

「孩子不會表達情緒、動不動就大哭大鬧」一直都是幼兒家長和老師最頭痛的問題。事實上，孩子也不喜歡自己哭哭鬧鬧，然而，情緒感受是與生俱來、不需學習的反應，但負向情緒來襲時，要好好表達並且適當調節，卻得透過周遭大人溫暖的理解、有效的安撫以及有計畫的教導，才能慢慢發展出來。

從呱呱墮地那一刻起，孩子的生活就是由一連串的事件，以及這些事件所引發的情緒感受所組成。剛出生的寶寶情緒只能粗略的分為「愉快的」和「不愉快的」兩大類，隨著生活經驗的豐富，情緒也開始分化為更多類別。到了一歲半，寶寶已擁有相當豐富的情緒感受了，而學前階段的幼兒，隨著行動範圍與生活圈的擴大，情緒也越來越多變與複雜。譬如說，心愛的玩具壞了、小朋友不跟他玩，孩子自然會因失落而感到難過；又如，積木城堡一直蓋不好、玩得正開心遊戲時間卻要結束了，孩子又會因為目標受阻而覺得生氣。此外，害怕、擔心、忌妒，以及開心、舒服、得意……等愉快或不愉快的感受，也都是幼兒生活中常見的情緒。

情緒越來越多元是必然且可喜的發展趨勢，但要能了解自己與他人的情緒，進而掌握自己的情緒、與他人和善相處，卻需要刻意的教導與學習。因此，家長和老師必須幫助幼兒了解自己和別人的情緒感受是什麼，鼓勵幼兒適切的表達自己，以及適時的關懷別人。

幼兒階段是開始系統化學習情緒的最佳時期，孩子需要學會與生活經驗、情緒感受互相呼應的詞彙，讓語言跟上情緒的腳步，才能逐漸擁有覺察、辨識與為情緒命名的能力，也才能善用正向情緒、轉化負向情緒，將生活的多采多姿化為成長的養分。

不過，情緒無影無形、難以捉摸與界定，必須藉助具體的生活事件與生動的插畫圖像，以幼兒熟悉的故事模式來幫助他們理解當下的情緒感受與事件的來龍去脈。因此，具有理論基礎並能完整呈現情緒元素的精采繪本，就成為情緒教育的最佳媒介，這也是我要大力推薦「我的感覺」這套幼兒情緒教育入門書的原因。

作者選擇了幼兒生活中最常見的負向情緒：難過、害怕、生氣、嫉妒、擔心做為主題，並以幼兒能夠理解的淺語，說出幼兒不易覺察的情緒元素，包括身體線索、心理感受，以及引發這些情緒的生活事件等。讓幼兒在聆聽書中主角故事的同時產生情緒理解，知道原來別人也會這樣，有這些情緒是很正常的。而反覆出現的情緒詞彙，也讓幼兒逐漸熟悉並能運用這些詞彙來表達自己的情緒；一旦幼兒能夠使用語言來表達情緒，他們就擁有了一項效能強大的工具，可以和別人溝通彼此的情緒。

當幼兒能夠自在接納情緒感受並學會適切表達之後，作者又帶著幼兒與書中主角一起發現心裡有這些感受時，可以用什麼方法來調節情緒，讓自己覺得好受一點，甚至進一步探索解決問題的可能性。從理解情緒、管理情緒到解決問題，完整呈現情緒教育的三大步驟。

除了上述幾個基本的負向情緒，作者另外挑了三個幼兒生活中常見的人際情緒課題，包括處理分離焦慮的《我想念你》、提升自信自尊的《喜歡我自己》，以及促進同理關懷的《我會關心別人》。的確，情緒不只發生在自我之內，也發生在人我之間；自我EQ是基礎，人際EQ則更進一步的促成孩子情緒成熟，讓孩子的人際關係更上層樓，也因此更能享受和其他小朋友一起遊戲學習的校園生活。所有這一切，都為幼兒未來進入小學的適應，奠定了堅實的情緒基礎。

情緒成熟需要時間的醞釀，但沒有耕耘就不會有收穫；「我的感覺」為家長和老師準備了豐富的素材，但要成為孩子的情緒滋養，還需要大人的參與和陪伴。關切幼兒情緒教育的大人，可以善用書中文字的力量、具象的插圖，以及隨書提供的情緒遊戲卡，和孩子一起玩情緒，讓您的幼兒情緒教育，從這套專業精采的繪本入門！

情緒的學習是一生的功課，趁早開始吧！

周育如 清華大學幼教系副教授

在幼兒發展的領域中，情緒發展是個很特別的領域，它雖然也有生理及遺傳的基礎，但較之身體、語言或認知發展，情緒能力隨著年齡與成熟而進展的情況「格外不明顯」，反而受環境與教養的影響非常大。

年幼的孩子如果未經教導，不如意時就發脾氣或揮拳打人是很常見的舉動，但這種情況長大了就會改善嗎？那可不一定，我們隨處可見許多人終其一生都沒有學會好好管理自己的情緒，年紀再大、學歷再高，無法好好處理自己情緒的一樣大有人在！

在台灣的教育中，多少年來，我們對孩子成功的重視遠遠超過對孩子幸福的關切，因此我們很少花時間教孩子怎麼跟自己相處，怎麼跟別人相處。長期下來，不只父母面對孩子的情緒問題時不知如何處理，甚至父母本身也因為沒受過情緒教育，對自己情緒的理解和處理能力也非常有限。結果在親職教育上，我們不只有處理不完的亂發脾氣的孩子，還要安撫及重新教導與孩子相互糾結、挫折又生氣的父母。

在這種情況下，「我的感覺」系列重新改版上市是格外有意義的一件事，這套書已累銷超過50萬冊，見證了父母帶著孩子學習情緒的珍貴歷程。這套書有很多值得推薦之處，包括每個主題都是孩子最常經歷的情緒、內容完整涵蓋了情緒辨識、情緒表達和情緒調節等主要成分，以及文學性、文字的溫暖度與畫面處理兼具等，原本就是很適合父母與孩子分享及討論情緒的上乘之作；除了優質的文本以外，還加上了應用的教案和情緒遊戲卡，顯然有意再多幫父母老師一點忙。

談情緒從共讀開始

在閱讀這套書時，大人剛開始可以如同一般的繪本與孩子進行共讀，先帶著孩子了解內容，看看故事人物是如何辨認、理解與調節自己的情緒；然後，大人可以仿故事結構所提供的情緒內涵，延伸討論孩子自己的經驗，例如共讀《我好難過》時，可以問問孩子有沒有難過的時候？在什麼情況下會難過？難過的感覺為何？以及難過時要怎麼做才會好過一點？ 接著，如果孩子對這些議題很有感觸或願意投入，還可以利用後面的教案和卡片和孩子玩一些情緒理解或敘說的遊戲，藉以增加孩子情緒語彙的質量、並提昇對情緒的敏銳度。

熟悉了這些內容和方法後，大人可以進一步混搭與應用。例如並不需要限於每本繪本的單一主題，而可以和孩子討論，在這些情緒中，他最常出現的是什麼情緒？很少經歷的又是什麼情緒？由於大人很容易把重點放在負面情緒的調節上，但除了教孩子處理負面情緒，許多時候更重要的其實是如何促進孩子正面的情緒，因此較全面的檢視是很有幫助的。此外，大人也可以從孩子平常的行為中去觀察，孩子發展得較好的是哪些方面？還需要再特別學習的是哪些方面？可以針對孩子特別需要補強的部分多一點的討論和練習。例如有的孩子還在學習用口語表達情緒，這時多一點情緒語彙的教導和情緒經驗敘說會很有幫助；有的孩子則是已經很會表達自己的情緒，但說完了卻仍很難接受安慰或自我調節，這時則可以多讓孩子想想情緒調節的方法，並透過角色扮演等方式來練習。

最後，這套書並不只適用於小小孩，而是在不同的年齡層可以有不同的應用。以情緒的調節策略為例，孩子很容易因為和父母分開而感到不安，但分離焦慮「可以被接受的表現」卻因年齡而異，當一個兩歲的孩子有分離焦慮時，我們可以接受並理解他的哭鬧和需要安撫；但如果一個六歲的孩子因為稍微和父母分開就大哭大鬧，可能會讓人難以接受。因此，孩子要學習的不只是自我情緒的覺察和表達，還需要理解社會的規則和期待，書中提供的內容只是例子，我們還可以和不同年齡的孩子討論，或許情緒感受本身都可以被接納，但當你遇到這樣的情況，什麼樣的表達對現在的你來說才是合適的？這種進一步的覺察和學習，對孩子長遠的發展來說將是更為重要的。

情緒的學習是一生的功課，越早開始，我們距離幸福人生就越近了一步。希望這套書成為大人和孩子一同探索情緒世界的美好開端！

衍伸討論

一起培養自信心

連廷誥　遠東科技大學通識教育中心副教授

每個孩子天生都有自己的特色：高、矮、胖、瘦、調皮、乖巧、愛唱歌、愛畫畫、愛熱鬧等等。正是這些不一樣，他們才是獨特的自己。爸爸媽媽要鼓勵孩子，認識自己、欣賞自己、接納自己，並發揮自己的潛能。自信能讓孩子正向看待自己，勇敢面對他人。大人的鼓勵與欣賞，就是培養孩子自信心的好方法。教導孩子透過自我認識與肯定，做獨特的自己，不一定要跟別人競爭所有的第一名，成為最棒的自己。

繪本閱讀的延伸討論

一、讓孩子從故事內容建立正向、積極價值觀。可以和孩子討論：

◆ 故事中的主角小天竺鼠哪些地方很棒？

◆ 小天竺鼠為什麼覺得自己很棒？

◆ 哪些人會喜歡故事中的小天竺鼠？他們為什麼喜歡他？

◆ 小天竺鼠是不是一定要長得和別人一樣，別人才會喜歡他？如果和別人不一樣，別人會不會喜歡他？為什麼？

◆ 小天竺鼠一定要努力成為第一名，別人才會喜歡他？還是只要盡力去做就好？

◆ 小天竺鼠覺得容易的事情有哪些？哪些事情是困難的？你喜歡和這樣的人做朋友嗎？為什麼？

◆ 小天竺鼠喜不喜歡當別人的小幫手？你呢？喜不喜歡當別人的小幫手？

◆ 小天竺鼠會不會犯錯？犯錯時他會怎麼辦？

二、讓孩子認識自己的獨一無二：

透過討論的方式讓孩子認識，原來自己和別人有相同與相異之處。這些討論包括了解自己的身體外型、表情、動作、能力等。

◆ 和孩子討論自己哪些地方和別人一樣？比如：「你有哪些地方和爸爸一樣？」「你有哪些地方和哥哥（姊姊、弟弟、妹妹）一樣？」「你有哪些地方和朋友一樣？」

◆ 和孩子討論自己哪些地方和別人不一樣？比如：「你有哪些地方和爸爸不一樣？」

「你有哪些地方和哥哥（姊姊、弟弟、妹妹）不一樣？」
「你有哪些地方和朋友不一樣？」

三、讓孩子欣賞自己的特色：

父母若能以一種欣賞的眼光看待孩子的特色，
孩子自然能開始學會欣賞自己。可以問孩子：

◆ 你走路的樣子有什麼自己的特色（提示：外八字或內八字？快或慢？手擺動幅度大或小？）
◆ 你畫的畫有什麼自己的特色？（提示：喜歡用綠色或紅色？運筆大膽或是謹慎？ 喜歡畫什麼動物或人物？）
◆ 你寫的字有什麼自己的特色？（提示：字體大或小？方正或圓潤？）
◆ 你和班上同學在一起時，有什麼自己的特色？（提示：吵鬧或安靜？大聲笑或微微笑？意見領袖或好好先生、小姐？）

親子延伸活動

◆**我的自畫像**：讀完這本書之後，邀請孩子用彩色筆、蠟筆、黏土等，創作心目中的自己，再一起討論繪製的內容。別忘了，每一幅創作都是孩子內在世界的呈現，請多用欣賞的眼光，而非挑剔的眼光。

◆**我是小記者**：讓孩子寫下自己的特色（如喜歡唱歌、認真、衝動、樂於助人），再由孩子擔任小記者，訪問三個好朋友（或家人），比較一下自己寫的和朋友寫的有哪些差異，透過這些差異幫助孩子更了解自己。

◆**我是大明星**：爸爸媽媽也可以和孩子共同以掌上玩偶創作戲劇，題目可以是「成為媽媽（爸爸）的小幫手時……」，過程中儘量以孩子為主要創作者，爸爸媽媽只需扮演輔助的角色即可。

◆**我的旋律**：拿出簡單的打擊樂器，讓孩子敲敲打打，演奏最能表達自己的曲子。

◆**我的成長日記**：送孩子一本日記簿，親子共同設計封面，讓孩子用它記錄自己的成長。內容可以是文字書寫、畫圖或張貼照片。

給父母和老師的叮嚀

如果爸媽和其他重要的人尊重孩子與生俱來的價值（「有人愛我本來的樣子」），孩子會覺得自己很棒，自尊心也得到發展。

當孩子成功和世界互動、被周遭的人肯定時，他們會覺得自己很棒。隨著孩子漸漸長大，並學會自己穿衣服、用積木蓋房子、畫畫、丟球、接球、幫助別人以及交朋友，這些事的成功帶給他們自信，去嘗試新的任務（「我喜歡交新朋友、學新東西」）。

每個孩子都是獨一無二的。我們要幫助孩子了解：大家都不一樣是件好事。我們不需要看起來像別人，或者和別人擁有一樣的技能或興趣（「不管畫畫或勞作，我的作品都和別人的不一樣」）。

擁有特殊的天賦是件好事，但我們也要讓沒有特殊天賦的孩子了解：他們和擁有天賦的孩子一樣寶貴。不要讓孩子覺得，他必須改變自己才能得到愛。對於個人無法控制事物的競爭，像是外貌等，只會引起焦慮。

我們不用擔心孩子對學習漠不關心。他們生來求知若渴，我們的挑戰在於延續這份熱情。我們可以支持孩子自然的渴望，讓他們盡力去做——無論「盡力」對他而言意謂著什麼。

既然孩子從我們的身教學到最多，我們可能得問自己：「我尊重孩子與生俱來的本質嗎？我尊重自己本來的樣子嗎？」如果答案是否定的，我們就得改變自己的態度，讓自己也能說：「我覺得自己很棒！」

—— 康娜莉雅・史貝蔓

When I Feel Good About Myself
by Cornelia Maude Spelman and illustrated by Kathy Parkinson

Published by arrangement with Albert Whitman & Company
through Bardon-Chinese Media Agency

我的感覺系列 6

作者｜康娜莉雅．史貝蔓　繪者｜凱西．帕金森　譯者｜黃維明

責任編輯｜劉握瑜　美術設計｜林家蓁　行銷企劃｜高嘉吟

天下雜誌群創辦人｜殷允芃　董事長兼執行長｜何琦瑜
媒體暨產品事業群
總經理｜游玉雪　副總經理｜林彥傑　總編輯｜林欣靜
行銷總監｜林育菁　副總監｜蔡忠琦　版權主任｜何晨瑋、黃微真

出版者｜親子天下股份有限公司
地址｜台北市 104 建國北路一段 96 號 4 樓
電話｜（02）2509-2800　傳真｜（02）2509-2462　網址｜www.parenting.com.tw
讀者服務專線｜（02）2662-0332　週一～週五：09:00~17:30
讀者服務傳真｜（02）2662-6048　客服信箱｜parenting@cw.com.tw
法律顧問｜台英國際商務法律事務所．羅明通律師
製版印刷｜中原造像股份有限公司
總經銷｜大和圖書有限公司　電話：（02）8990-2588

出版日期｜2005 年 9 月第一版第一次印行
2018 年 2 月第三版第一次印行
2024 年 6 月第三版第十二次印行
定價｜260 元　書號｜BKKP0211P　ISBN｜978-957-9095-17-4（精裝）

訂購服務
親子天下 Shopping｜shopping.parenting.com.tw
海外．大量訂購｜parenting@cw.com.tw
書香花園｜台北市建國北路二段 6 巷 11 號　電話（02）2506-1635
劃撥帳號｜50331356 親子天下股份有限公司